KORSSTING TIL JUL OG ADVENT

イングリット・プロムのデンマーク・クロスステッチⅡ
クリスマス アドベント

デザイン イングリット・プロム
訳・監修 山梨幹子

目次

まえがき ……………………………………………… 3
ステッチ ……………………………………………… 4
仕上げ方 ……………………………………………… 10
クリスマスのコーン型飾り ………………………… 14
カゴ …………………………………………………… 16
クリスマスツリーとニッセのアドベントカレンダー ……… 18
クリスマスツリーとニッセのクリスマスカレンダー ……… 20
ニッセとクリスマスカレンダー …………………… 22
ハートのクッション ………………………………… 28
ハートと星のテーブルセンター …………………… 30
赤い星のテーブルセンター ………………………… 32
天使とクリスマスツリー …………………………… 34
天使と星のランナー ………………………………… 36
白いクリスマスツリーのランナー ………………… 38
エンジェルリースのテーブルセンター …………… 40
エンジェルのドイリー ……………………………… 42
クリスマスツリーとベル、星のテーブルセンター ……… 44
雪降るクリスマスツリーのテーブルランナー …… 46
雪降るクリスマスツリーのドイリー ……………… 48
星型のクリスマスツリーのテーブルセンターとドイリー ……… 50
クリスマスリースのテーブルランナー …………… 52
クリスマスリースのテーブルセンターとドイリー ……… 54
ニッセとクリスマスツリーのテーブルクロス …… 56
ニッセのドイリー …………………………………… 58
クリスマスを用意するニッセたち ………………… 60
ハート飾りのテーブルクロス ……………………… 62
ハート飾りのドイリー ……………………………… 64
ボーダー飾り ………………………………………… 66
ニッセたちのクリスマスツリーマット …………… 68

［付録］仕上げのアイデア 32 作品 ………………… 72

Korssting til jul og advent
Første gang udgivet i Danmark i 2005
af © Forlaget Klematis A/S, Østre Skovvej 1,
8240 Risskov DK.
Tekst: © Ingrid Plum
Foto: © Jette Ladegaard
Mønstertegninger: Finn Leth
Forlagsredaktion: Claus Dalby
www.klematis.dk
The japanish edition © Yamanashi Hemslöjd
All rights reserved

まえがき

　今回、新たな刺繍の本が完成できたのは、とても素晴らしいことだと感じています。この新しい模様が多くの人に愛され、さらに新しいデザインが生まれることを期待しています。

　新たに刺繍のデザインを制作するとき、色の組み合わせを確かめるために、試し刺しを行います。他の色を使用してみたいという皆さんにもお勧めの方法です。

　私自身はデザインを完成させると、その試し刺しとアイデアを友人のディッテさんにお任せすることにしています。数ヵ月後にでき上がってくる刺繍とコメントを見るのは、ワクワクする瞬間です。

　多くの作品は、皆さんのアイデアで、さまざまな形にすることが可能です。新しい模様は、コピーとハサミで生みだすことができます。たとえば50ページの「星型のクリスマスツリー」は長い形にしてもいいですし。28ページの「ハートのクッション」の模様は、ハガキにもできます。布で大きなクッションを縫って、これに刺繍をつければよいのです。14ページの「クリスマスのコーン型飾り」の模様を、たとえばジュート麻で大きめに刺繍して、プレゼント用のラッピングに使用することも可能です。

アイデアは色とりどり！

ぜひ、楽しんでみてください。

イングリット・プロム

ステッチ

本書のモチーフは右側にクロスステッチの色糸番号を表示、その右側か下に、バックステッチの記号（|/|）が示されています。（糸は主にデンマーク手工芸ギルドの花糸を使用。別の糸を使用する場合はそれぞれ明記しています。）

クロスステッチ

1マスを麻布2目×2目とします。
左下から右上に◻形になるように糸を刺し、次に右下から左上に◻形に刺して1つのクロスステッチができます。

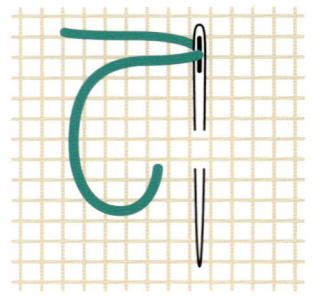 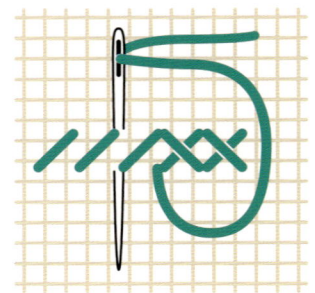

a) 横に進むクロスステッチ

左から右へ刺します。麻布2目を単位に左下端から右上端へ◻形が並ぶように刺し、予定のマス目を刺し終えたら、◻形になるように刺しながら戻りクロスステッチを完成させます。

 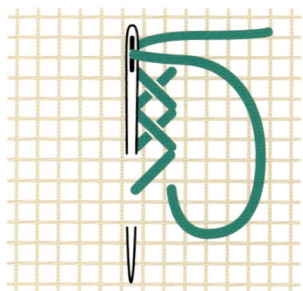

b) 垂直に進むクロスステッチ

一つのクロスステッチごとに完成させながら、下へ刺し進みます。横に進むクロスステッチと同様に、裏側に渡る糸は常に垂直の線になって出てきます。

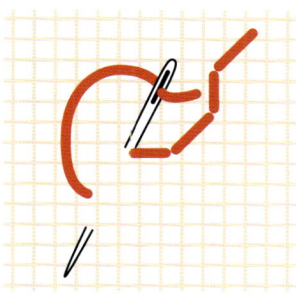

バックステッチ
1マスを麻布2目×2目とします。縦・横・斜めと進む先の麻布2目をとって、元位置にバック（戻る）して、刺し進みます。

 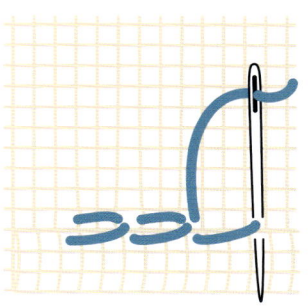

ヘムステッチかがり
ヘムを三つ折りにし、しつけをして刺繍裏から刺します。
ヘムの内側と刺繍した布の際で、刺繍した布3目を上図のようにすくって糸を引き、針を入れた同じ位置のヘムの上辺を1目すくって、しっかり固定させながら、刺し進めます。

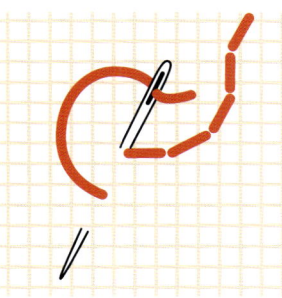

1マスの中に半分（1/2）の細い変化を表わすバックステッチを刺すときは、1マス（2目×2目）の中で、横に1目ずらしたり、縦に1目ずらして刺します。

モチーフ

　本書の全ての模様は、正方形のマス目で描かれており、一マスは布目2目×2目となっています。可能な場合は、モチーフの中心点を矢印で記しています。ドイリー、テーブルセンター、カーペット等は、刺したい大きさや長さが人によって異なります。作業を少しでも楽にするために、好きなモチーフを選んだら、まずそのモチーフのコピーをとりましょう。次にテープ等で接着して中心に印を入れます。このとき、コピーの重なり部分が広すぎたり狭すぎたりしないよう注意してください。

　掲載作品に関しては刺繍の部分のサイズも示しています。

　なお、モチーフが写真の色と異なることがあります。これは単に、描かれているモチーフを区別しやすくするためです。

刺繍用の布地

　布を用意するときは、刺繍部分と仕上げのための十分な余裕が麻布にあるかどうかを確認してください。完成作品（写真）と刺繍のサイズはあくまで目安です。

　この本に掲載している作品では、主に巾150cm、1cmに10目と11目の麻布を使用しています。15ページの袋としおりには、巾7cmで12目／1cmと巾5cmで11目／1cmの麻テープを使用しています。（訳注：1cmに10本も11本も実際の布自体が正確に織られておらず、そのでき上がりサイズの差違が極少のため本書では10本／cmに統一しました。）

　まず刺繍をする前に、布がほつれないように、縁にほつれ止めをします。次に目数を数えやすくするため縦・横にしつけで印をつけておくと便利です。数え間違いをしやすいモチーフもいくつかありますので、注意してください。遅い段階で間違いに気づいて刺し直すのはとても大変です。正しく刺しているかどうか、途中でたびたび確認することをおすすめします。

　大きめのリースの直径が異なっているのは、布の縦と横の目の巾が若干異なるためです。

本書の全てのモチーフは、みなさんが選ばれたどんな布にも、刺繍することができます。写真は同じモチーフを未ざらし麻布とジュート麻で作ったもの。
モチーフは48ページを参照。

テーブルセンター 未ざらし麻布10目を使用。用意する布のサイズ70×70cm。仕上りサイズ61×61cm。刺繍の部分52×52cm。
仕上げ方：刺繍より4.5cm布を残して、ヘム巾1.5cmで刺繍表に三つ折にして、四隅の余分は切り、額縁仕立てにします。
縫い合わせ目に銀糸のレースを取りつけながら、ヘムを始末します。

クリスマスツリーのカーペット（ウール糸を使用します。46ページ参照） ジュート麻4目/cmを使用。用意する布のサイズ150×150cm。
仕上りサイズ138×138cm。刺繍の部分136×136cm。
仕上げ方：刺繍より1cm布を残して、細かくまつり、最後に銀コードをつけます。

刺繡糸

　本書では特に指定がない場合は、デンマーク手工芸ギルドの花糸を使用しています。またDMCの糸、金糸、銀糸も使用しています。ジュート麻にはデンマーク手工芸ギルドのウール糸を使用しています。刺すときは、先がとがっていないクロスステッチ用の針を使用します。作品によっては、モチーフに光沢を出すためDMCの金糸、銀糸とDMCの糸の2本取りを用います。金糸、銀糸は30cm程度に切って使用することをおすすめします。

　なお、刺繡用の糸は、糸を染める釜によって色が異なることがありますので、大きな作品を始める前には同じ釜のものであるかを確かめましょう。

洗濯とアイロン

　刺繡作品は手洗い、もしくは洗濯機のウール洗い機能（30℃程度のぬるま湯を使用）で洗濯可能ですが、必ず無漂白洗剤を使用してください。刺繡用の麻布はドライクリーニングをすると繊維がいたむおそれがありますので注意しましょう。

　洗濯後、かわかすときは二枚のタオルの間にはさみます。完全にかわく前が、一番アイロンをしやすい状態です。色落ちすることがありますので、はじめての作品を洗う場合は、水に浸したり、丸めたりしないようにしましょう。アイロンをあてるときは、やわらかい下敷きの布に、刺繡の表側を下にしておき、かたく絞った布を上からかぶせます。布がまだ湿っているうちに刺繡を整え、刺繡の裏側からアイロンをかけます。

　仕上げをする前にも必ずアイロンをかけるようにしましょう。

布や糸の残りを利用して、カードやブックカバーなど、すてきな小物ができます。デザインモチーフは34ページと44ページを参照。

仕上げ方

クッション

刺繍の部分に縫いしろ分をとって、余分の布を裁断します。図1のように4枚の布で枠を縫い、布と刺繍を中表にして縫い合わせます。布を対角に折って、図2aのように斜めに角を縫います。余った布を落とし、図2bのように両側に縫いしろをひろげます。図3aと図3bのようにボタン付けの裏張り布を用意します。刺繍と裏を中表にして縫います。

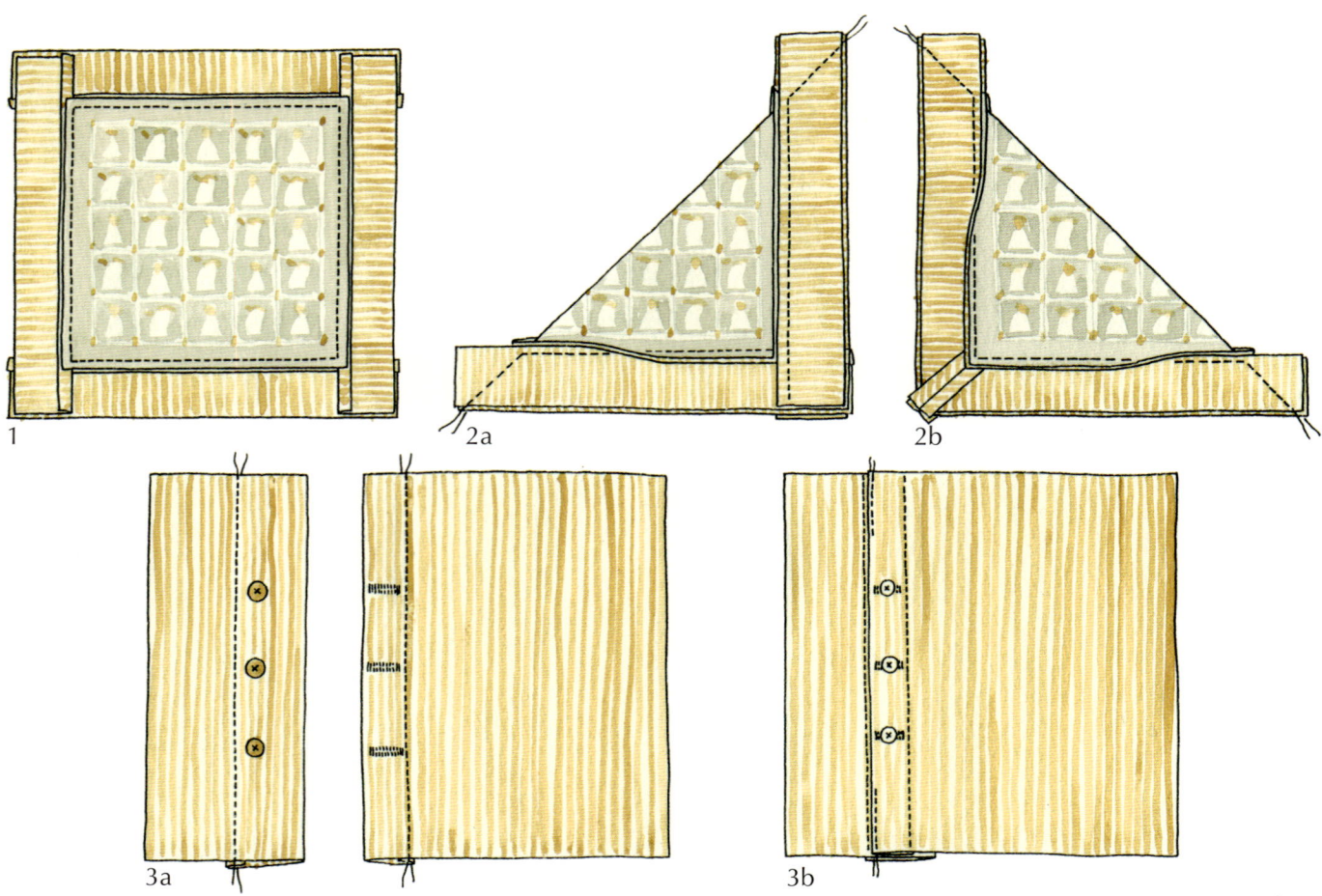

クッション クリスマスを飾るクッションはいろいろなモチーフからインスピレーションを得て作ってみましょう。この作品は34ページのモチーフの応用です。
未ざらし麻布10目を使用。用意する布のサイズ35.5×35.5cm。仕上りサイズ32×32cm。刺繍の部分21.5×21.5cm。
仕上げ方：縁飾り用に巾5cm＋縫いしろ分のストライプ柄の布を使用。刺繍より2cm布を残し縫い合せ、金縁コード飾りをつけます。仕上げ方は前ページ参照。

細い縁布をつける

図1aのように、縁を斜線部分で折ります。縁布を刺繍した布にはさんで、ミシンで縫いつけます。角を図1b,1cのように曲げます。

広い縁布をつける

前ページのクッションで説明したように、刺繍の周りに布枠を取りつけます。ここでも布を対角に折り、図1のように斜めに角を縫います。ここで注意したいのは、縫い目を半分までしか縫わないこと。余った布を切り、両側の縫い目をひろい、一番端の縁にそって縫います。布枠を裏側に返し、図2のように斜めに角を縫います。そして布枠の縫い目にそって刺繍布に縫い付けます。縁がダブルであるため、仕上りサイズは用意する布の1/2になります。

1a

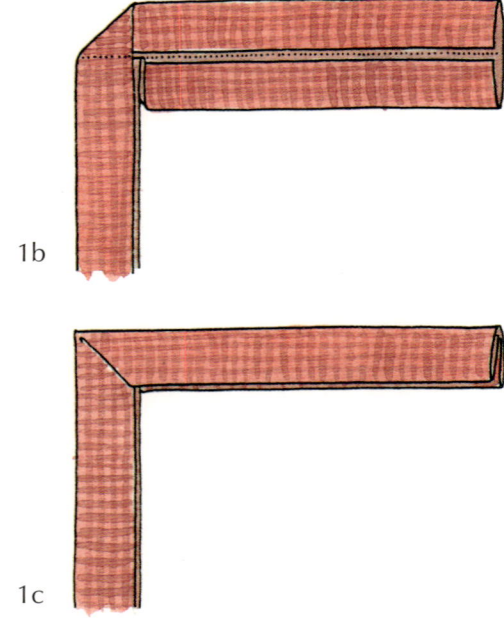
1b

1c

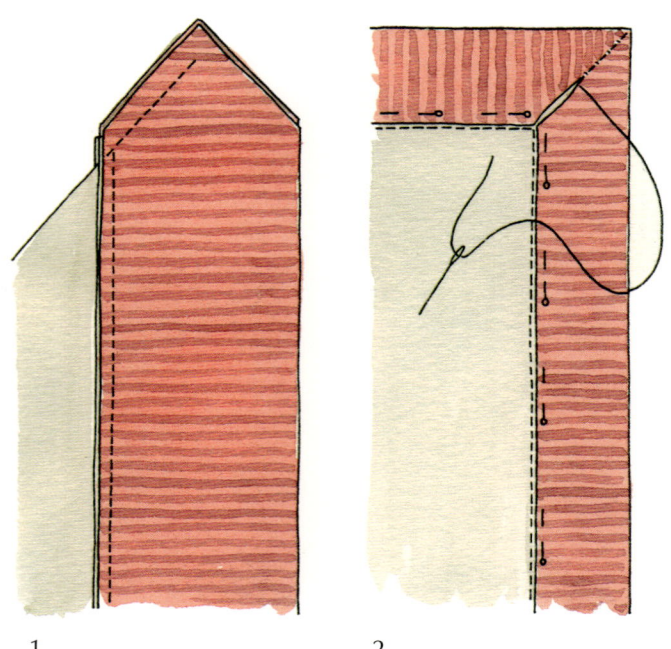
1　　2

カゴ

刺繍した布7.5cm＋縫いしろ分用意し、中表に合わせて脇を縫いつけます。表側が前にくるように裏返し、小さいカゴは金布を使用し、底を縫います。大きいカゴはジュート麻を使用しています。同じサイズの裏側分を用意し、刺繍したカゴの中へ差し込み、目立たないように縫い合わせます。小さいカゴには取っ手と縁に金紐を縫いつけます。大きいカゴには金のリボンをつけます。

クリスマスのコーン型飾り

刺繍したところから7.5mmの縫いしろを取って切りおとし、中表にしてコーン型になるように縫います（図1）。裏地は、同じような形を金布でつくります。刺繍したコーンの先端で、斜めに布を切り取り、裏返して、中央の縫い目を爪で両側へひらきます。

刺繍したコーンに金布を差し込み、角をうまく落として縫いつけます。縁と取っ手は金コード、もしくは金のリボンを使用して図2のように縫いつけます。

クリスマスのコーン型飾り

クリスマスオーナメント
小さいコーン型 未ざらし麻布10目を使用。用意する布のサイズ15×15cm。仕上りサイズ コーンの先から紐まで14cm。刺繍の部分10×10cm。
大きいコーン型 未ざらし麻布10目を使用。用意する布のサイズ21×21cm。仕上りサイズ コーンの先から紐まで21cm。刺繍の部分15×15cm。
仕上げ方は13ページ参照

カゴ

16

小さいカゴ 未ざらし麻布10目を使用。用意する布のサイズ12×29cm。仕上りサイズ 高さ6cm、奥行3.5cm、巾8cm。刺繍際で仕上げます。
大きいカゴ ジュート麻4目/1cmを使用。用意する布のサイズ22×110cm（底の部分を含む）。仕上りサイズ 高さ17cm、奥行10cm、巾22cm。刺繍の部分16×66cm。刺繍糸は、ウール糸使用。刺繍際で仕上げます。仕上げ方は13ページ参照。
モチーフは交互に延長して利用できます。

クリスマスツリーとニッセのアドベントカレンダー

アドベントカレンダー
未ざらし麻布7目を使用。
用意する布のサイズ40×70cm。
仕上りサイズ43×70cm。
刺繍の部分30×44cm。
仕上げ方：巾9cmのストライプ柄のリボンを
刺繍より2cm布を残して上と左右に
縫いつけます。
下は15cm残します。巾広い縁の
仕上げ方は12ページ参照。
刺繍より3cm下がったところに、赤糸で
4個の真鍮のリングを取りつけます。
4個のプレゼント袋を上の写真のように、
金コードで吊るします。
炎のように光る小さなグリーンランドの
ゴールドパールを取りつけてもよい。

クリスマスツリーとニッセのクリスマスカレンダー

DMC 972
147
201

アドベントカレンダー
未ざらし麻布10目使用。
用意する布のサイズ54×56cm。
仕上りサイズ48×50cm。
刺繡の部分42×44cm。
仕上げ方：巾4cm＋縫いしろ分の
チェック柄の布を用意し、刺繡より1cm
布を残して取りつけ、縫い合せ部分に
金縁コードをつけます。
真鍮リングを数字の下につけます。
裏側までしっかり赤糸でつけましょう。
仕上げ方は12ページ参照。カレンダーの
数字の配置は20ページ参照。数字の
モチーフは前ページに記されています。

ニッセとクリスマスカレンダー

アドベントカレンダー
未ざらし麻布7目使用。
用意する布のサイズ40×134cm。
仕上りサイズ31×124cm。
刺繍の部分21×114cm。
仕上げ方：24個の真鍮のリングを数字の下に
取りつけます。このとき、中心の布目2目をあける
ようにします。
巾4cm＋縫いしろ分のストライプ柄の布を
用意して、刺繍より3cm布を残して縫いつけます。
細いコードをその縫い合せの目に飾りつけます。
仕上げ方は12ページ参照。

600

53

100

25

500

227

213

251

32

201

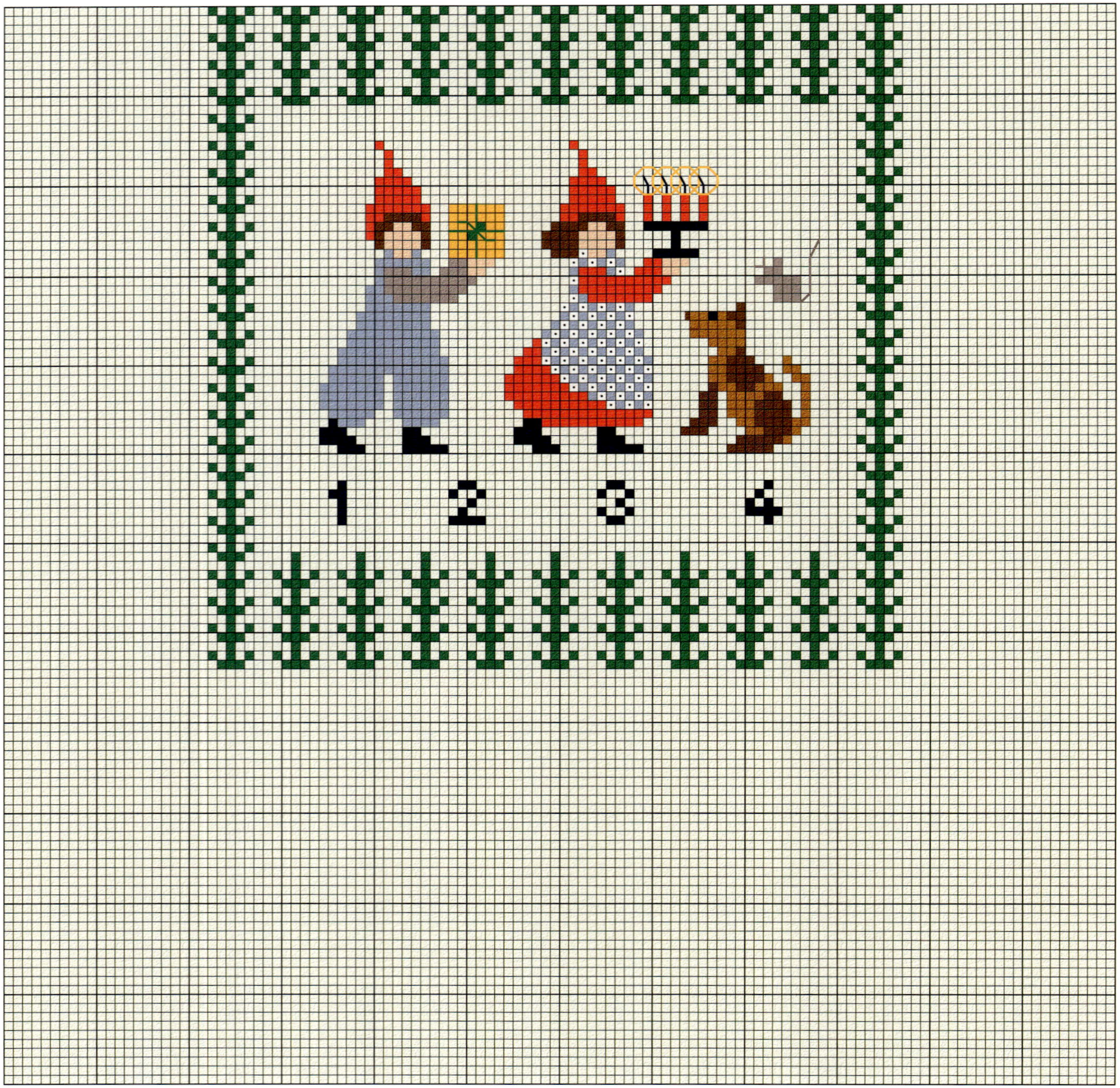

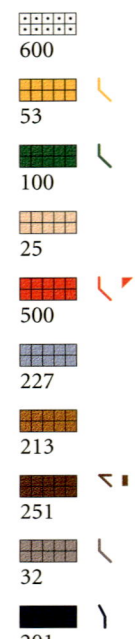

デザート用ナプキン　未ざらし麻布10目を使用。用意する布のサイズ24×24cm。仕上りサイズ17×17cm。刺繍の部分14.5×14.5cm。
仕上げ方：巾2cmのストライプ柄のリボンを用意し、刺繍より布目2目残して縫いつけます。仕上げ方は12ページ参照。

ハートのクッション

金糸(1本)＋
DMC743(1本)の
2本どり。

DMC 970 + 720

86

クッション 麻布10目を使用。用意する布のサイズ28×28cm。仕上りサイズ33×33cm。刺繍の部分21×21cm。
仕上げ方：小さい柄模様の布を巾6cm+縫いしろ分用意し、刺繍際で縫いつけます。
裏側布を縫い合せたら、細い金コードを縫い合せの目に飾りつけます。仕上げ方は10ページ参照。

ハートと星のテーブルセンター

 金糸(1本)+
DMC743(1本)の
2本どり。

 DMC970(1本)+
720(1本)の2本どり。

86

テーブルセンター 麻布10目を使用。用意する布のサイズ62×62cm。仕上りサイズ50×50cm。刺繍の部分43×43cm。
仕上げ方：刺繍より3.5cm布を残してヘムを三つ折りして、見えないようにまつります。一番端の縁に金コードを飾りつけます。

赤い星のテーブルセンター

86

テーブルセンター 未ざらし麻布10目を使用。用意する布のサイズ60×60cm。仕上りサイズ50×50cm。刺繍の部分46×46cm。
仕上げ方：刺繍より2cm布を残してヘムを三つ折りして、見えないようにまつります。
デザートナプキン 未ざらし麻布10目を使用。用意する布のサイズ22×22cm。仕上りサイズ17×17cm。刺繍の部分15×15cm。
仕上げ方：刺繍より1cm布を残して、ヘムを三つ折りして細かくまつります。

天使とクリスマスツリー

金糸(1本)＋
DMC743(1本)の
2本どり。

25

0

33

ドイリーと箱飾り 未ざらし麻布10目を使用。用意する布のサイズ24×24cm。仕上りサイズ18×18cm。刺繍の部分12.5×12.5cm。
仕上げ方：刺繍より2.5cm布を残して折り、金糸でヘムステッチ仕上げをします。
ティーコーゼ 未ざらし麻布10目を使用。用意する布のサイズ36×36cm。仕上りサイズ30×30cm。刺繍の部分21.5×21.5cm。
仕上げ方：巾5.5cm＋縫いしろ分のストライプ柄布を用意します。刺繍より2cm布を残して、3面をしっかりと縫い合せ、縫い合わせ目に細い金コードを飾りつけます。裏側布を用意し仕上げます。

天使と星のランナー

テーブルランナー　未ざらし麻布12目 巾16cmの布（両側に白いボーダー織りが入ったもの）を使用。用意する布の長さ85cm。
仕上りサイズ16×81cm。刺繍の部分13.5×79cm。
仕上げ方：両端は刺繍より1cm布を残して、ヘムを三つ折りしてまつります。

白いクリスマスツリーのランナー

銀糸(1本)＋
600(1本)の2本どり。

□ 600　2本どり。

テーブルランナー 未ざらし麻布7目を使用。用意する布のサイズ35×135cm。仕上りサイズ29×128cm。刺繍の部分21×120cm。
仕上げ方：刺繍より4cm布を残して、三つ折り仕上げにして、銀コードで縁を飾ります。

エンジェルリースのテーブルセンター

テーブルセンター　麻布10目を使用。用意する布のサイズ65×65cm。仕上りサイズ55×55cm。刺繍の部分48×48cm。
仕上げ方：刺繍より3.5cm布を残して、金糸でヘムステッチかがりをします。

エンジェルのドイリー

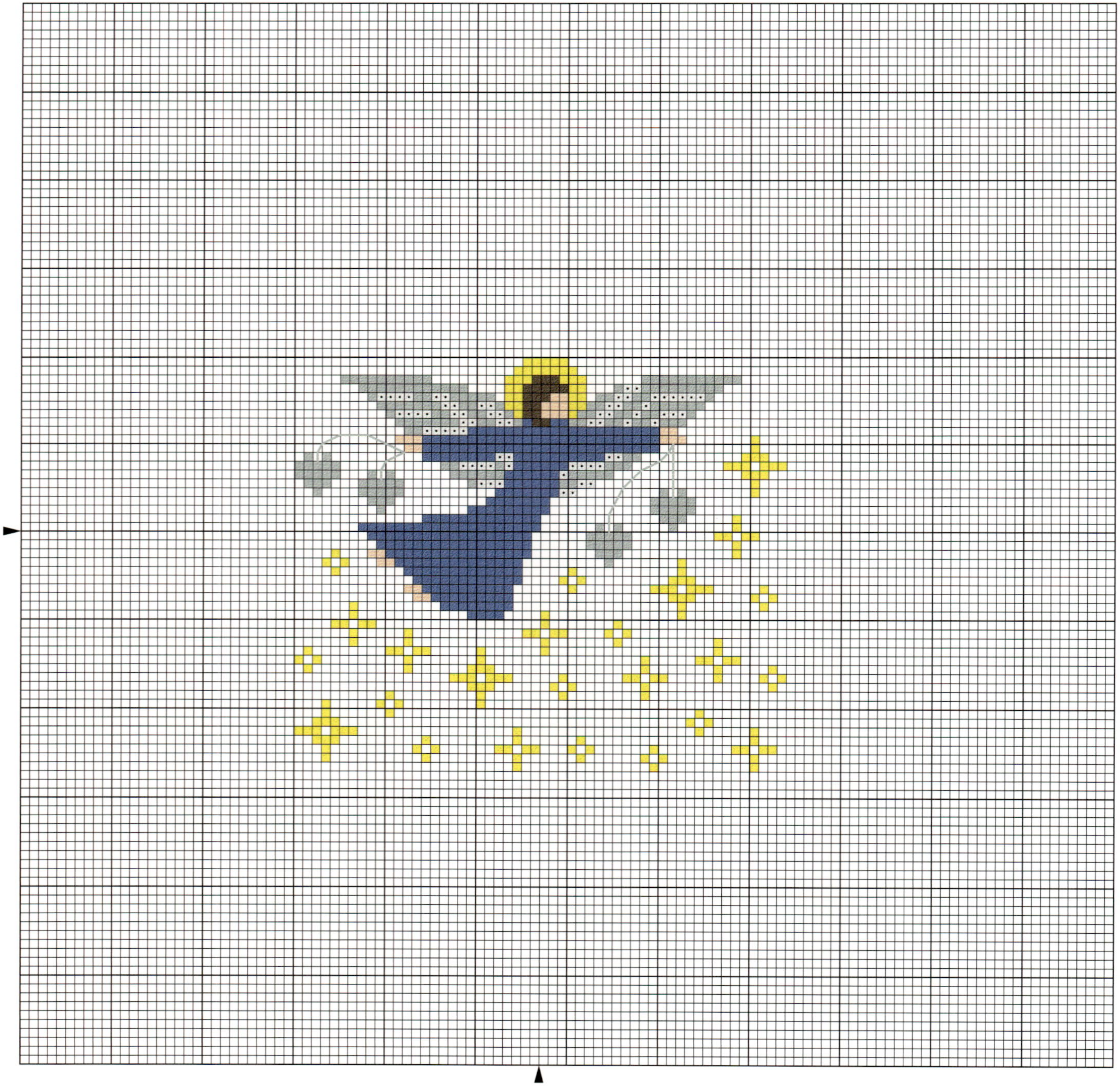

金糸(1本)＋
DMC743(1本)の
2本どり。

25

35

229

227

215

ドイリー 麻布10目を使用。用意する布のサイズ22×22cm。仕上りサイズ16×16cm。刺繍の部分9×10cm。
仕上げ方：両サイドは刺繍より3cm布を残して、上と下は3.5cmあけてヘムをつくり、金糸でヘムステッチかがりをします。

クリスマスツリーとベル、星のテーブルセンター

テーブルセンター 未ざらし麻布10目を使用。用意する布のサイズ70×70cm、仕上りサイズ64×64cm。刺繍の部分60×60cm。
仕上げ方：刺繍より2cm布を残して三つ折りにし、見えないようにまつります。

雪降るクリスマスツリーのテーブルランナー

テーブルランナー 未ざらし麻布10目を使用。用意する布のサイズ38×75cm。仕上りサイズ31.5×68cm。刺繍の部分28.5×65cm。
仕上げ方：刺繍より1cm布を残してヘムをつくり、銀糸でヘムステッチかがりをします。
7ページの写真にあるクリスマスツリーのカーペットは、ウール糸で刺されています。テーブルセンターも7ページを参考にしてください。

雪降るクリスマスツリーのドイリー

48

テーブルセンター デザインモチーフは46ページ参照。未ざらし麻布10目を使用。
用意する布のサイズ70×70cm。仕上りサイズ61×61cm。刺繍の部分52×52cm。
仕上げ方:刺繍より4.5cm布を残して、ヘムを刺繍側に折り返し、ヘムステッチかがりをして、銀糸のコード飾りをつけます。
ドイリー 未ざらし麻布10目を使用。用意する布のサイズ25×25cm。仕上りサイズ19×19cm。刺繍の部分14×14cm。
仕上げ方:刺繍より2.5cm布を残して、ヘムを刺繍側に折り返し、ヘムステッチかがりをして、銀糸のコード飾りをつけます。

星型のクリスマスツリーのテーブルセンターとドイリー

金糸（1本）+
DMC743（1本）の
2本どり。

100

テーブルセンター 麻布10目を使用。用意する布のサイズ70×70cm。仕上りサイズ60×60cm。刺繍の部分45×45cm。
仕上げ方：刺繍より7.5cm布を残してヘムをつくり、銀糸でヘムステッチかがりをします。
ドイリー 麻布10目を使用。用意する布のサイズ26×26cm。仕上りサイズ20×20cm。刺繍の部分15×15cm。
仕上げ方：刺繍より2.5cm布を残してヘムをつくり、銀糸でヘムステッチかがりをします。

クリスマスリースのテーブルランナー

銀糸（1本）+ DMC白（1本）の2本どり。

86
101
238

テーブルランナー　未ざらし麻布10目を使用。用意する布のサイズ34×80cm。仕上りサイズ26×73cm。刺繍の部分24.5×71.5cm。
仕上げ方：刺繍より0.5cm布を残して切り、巾1.5cmのリボンで縁飾りをします。

クリスマスリースのテーブルセンターとドイリー

銀糸(1本)+ DMC白(1本)の2本どり。

86

101

238

テーブルセンター 未ざらし麻布10目を使用。用意する布のサイズ32×40cm。仕上りサイズ26×35cm。刺繍の部分24.5×33.5cm。
仕上げ方：刺繍より0.5cm布を残して切り、巾1.5cmのリボンで縁飾りをします。
ドイリー 未ざらし麻布10目を使用。用意する布のサイズ17×17cm。仕上りサイズ12.5×12.5cm。刺繍の部分11×11cm。
仕上げ方：テーブルセンターと同じ。
箱のふた 未ざらし麻布10目を使用。用意する布のサイズ17×17cm。仕上りサイズ11×11cm。刺繍の部分11×11cm。

ニッセとクリスマスツリーのテーブルクロス

テーブルクロス 未ざらし麻布10目を使用。用意する布のサイズ66×66cm。仕上りサイズ62×62cm。刺繍の部分59×59cm。
仕上げ方:巾3cm+縫いしろ分のチェック柄の布を用意し、刺繍際に縁飾りをして、その内側縁に上の写真のように金糸の細い飾りコードをつけます。
作り方は12ページ参照。

ニッセのドイリー

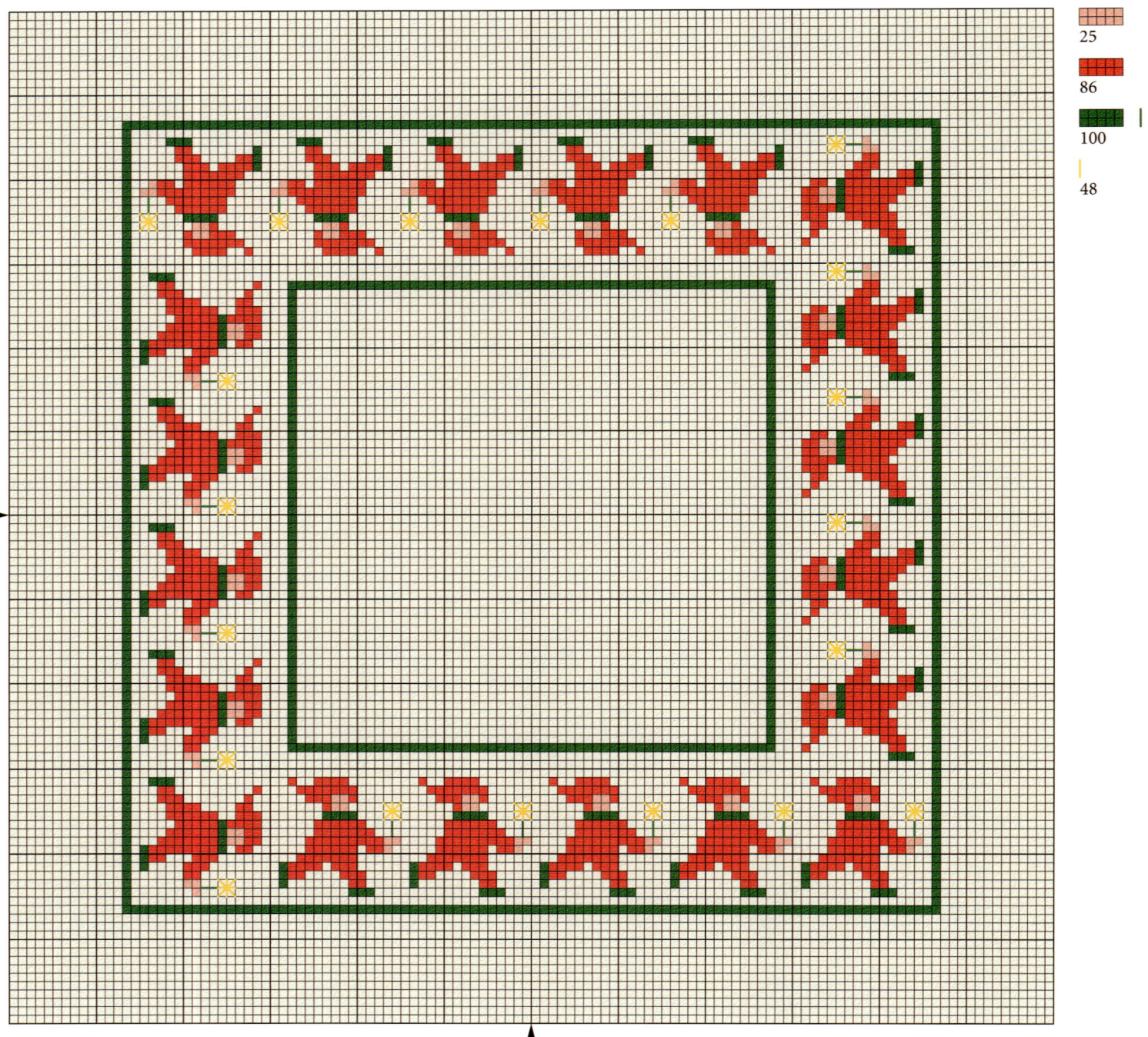

25
86
100
48

58

ドイリー 未ざらし麻布10目を使用。用意する布のサイズ26×26cm。仕上りサイズ20×20cm。刺繍の部分18×18cm。
仕上げ方：巾2cm+縫いしろ分のチェック柄の布を用意し、刺繍際に縁飾りをして、細い金糸コードをその縫い合せ目につけます。作り方は12ページ参照。

クリスマスを用意するニッセたち

大きいテーブルセンター 未ざらし麻布10目を使用。用意する布のサイズ80×80cm。仕上りサイズ71×71cm。刺繍の部分65×65cm。
仕上げ方:チェック柄の布を巾5cm+縫いしろ分用意し、刺繍より布目3目残して縫いつけます。
小さいテーブルセンター 未ざらし麻布10目を使用。用意する布のサイズ40×40cm。仕上りサイズ34×34cm。刺繍の部分26×26cm。
仕上げ方:チェック柄の布を巾5cm+縫いしろ分を用意し、刺繍より1.5cm布を残して縫いつけます。巾広の縁の作り方は12ページ参照。

ハート飾りのテーブルクロス

銀糸(1本)＋
DMC白(1本)の
2本どり。

86

100

テーブルクロス
未ざらし麻布10目を使用。
用意する布のサイズ60×138cm。
仕上りサイズ70×154cm。
刺繍の部分44×128cm。
仕上げ方：ストライプ柄の布を
巾20cm＋縫いしろ分を用意し、
刺繍より3cm布を残して額縁仕立てで
縫いつけます。作り方は12ページ参照。

ハート飾りのドイリー

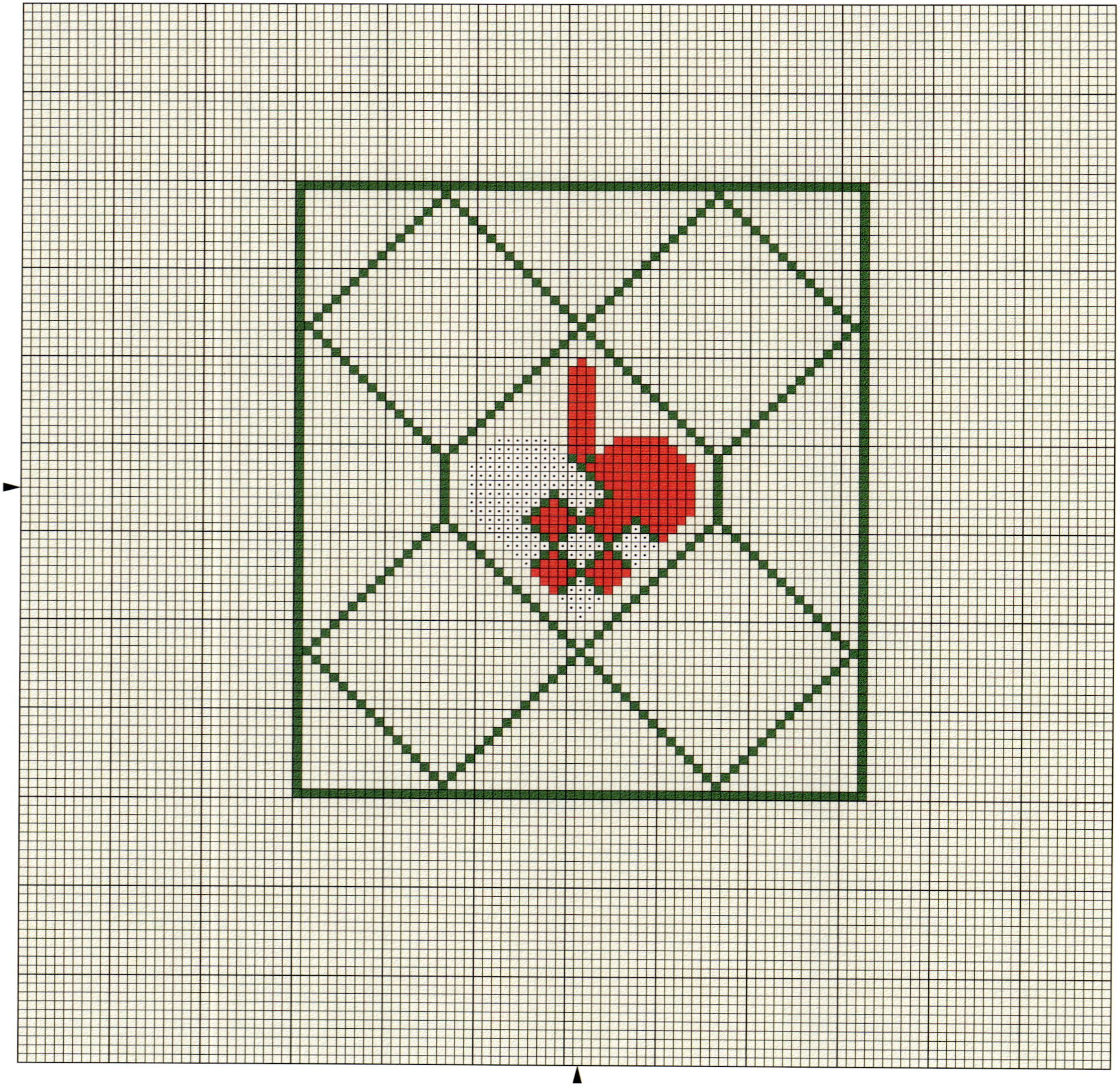

銀糸(1本)+
DMC白(1本)の
2本どり。

86

100

ドイリー 未ざらし麻布10目を使用。用意する布のサイズ19×20cm。仕上りサイズ18×19.5cm。刺繍の部分12×13.5cm。
仕上げ方：ストライプ柄の布を巾4cm＋縫いしろ分用意し、刺繍より1cm布を残して縫いつけます。作り方は12ページ参照。

ボーダー飾り

66

クリスマスソックス 未ざらし麻布テープ12目 巾7cm（グリーンのボーダー柄のあるもの）を使用。用意する長さ50cm。
仕上りサイズ7×41cm。刺繍の部分4.5×41cm。
仕上げ方：ストライプ柄と相応の金色布でソックスを縫います。上の縁まわりに刺繍を縫いつけます。
ソックスと刺繍テープの間にジグザグテープをはさみ、同時に房や吊るし紐をしっかりつけます。
ニッセの帽子 未ざらし麻布テープ12目 巾7cm（グリーンのボーダー柄のあるもの）を使用。用意する長さ54cm。仕上りサイズ7×46cm。刺繍の部分4.5×46cm。
仕上げ方：長いニッセ帽（妖精帽）を赤いフェルト地で用意します。帽子の縁まわりに水平に刺繍のテープを取りつけます。

ニッセたちのクリスマスツリーマット

マット　ジュート麻4目/1cmを使用。用意する布のサイズ150×150cm。仕上りサイズ136×136cm。刺繍の部分120×120cm。刺繍糸は、ウール糸を使用。
仕立て方：巾22cm+縫いしろ分のストライプ柄の布を用意し、刺繍より2cm布を残して、巾広のボーダーを取りつけます。作り方は12ページ参照。

仕上げのアイデア 32作品

制作　ヤマナシ ヘムスロイド友の会
撮影　川田正昭

　デンマークのクロスステッチ刺繍のレベルの高さと楽しみ方の豊富さは、暮らしに刺繍が根づいてきた長い伝統があるにせよ、1928年のデンマーク手工芸ギルド設立と、その活動を抜きにしては語れないと思います。著名なデザイナーのゲルダ・ベングトソン女史（1900-1995）たちによって花糸が創り出され世界に刺繍ファンを獲得し、デンマークの"国民的ステッチ"とも呼ばれるようになったからです。

　1974年、スウェーデン南部のマルメ市で開催された北欧5カ国の手工芸連盟主宰の大展覧会で、私は始めて手工芸ギルドの作品に巡り合い、清々しい表現に魅了され、日本に出版や全国的展覧会などを通じて紹介してまいりました。そして30年の間に日本のファンの方々の楽しみ方も進化を続け、今回のイングリット・プロム女史の日本語版にアイデアを載せた作品を発表できるまでになりました。

　繊細でアイデアに富んだフィニッシュが、読者の皆様に刺激を与え、刺繍生活をさらに豊かにすることを願っています。

2008年8月
山梨幹子

1　クリスマスのテーブルセンター
　　小さいバラバラのモチーフを再構築して、さらにハーダンガーを挟み込んで新しさを出しました。
2　カゴのランプシェード
　　モチーフをボーダー柄にして、クリスマスの明りに。

3 カゴ模様のトートバッグ
小さいモチーフをハートで抜いて、手づくりのカード織りの持ち手をつけました。

4 カゴ模様のテーブルセンター
中央にたっぷりとモチーフを刺し、リッチなランナーに。

5 クリスマスツリーとニッセの額
小さいモチーフを抜き出し、赤い額に収めました。

6 クリスマスツリーとニッセたちのテーブルセンター
ツリーとニッセたちのモチーフを回りに刺したテーブルセンターはシクラメンなどの花鉢にぴったり。

7　ニッセのクリスマスアドベント
配置と繰り返しで横長に仕上げてみました。

8　ニッセのティーコーゼ
ヘデボのスカラップで縁飾りをしました。

9　ニッセたちのテーブルセンター
二組のモチーフをジョイントさせると意外な効果が出ました。

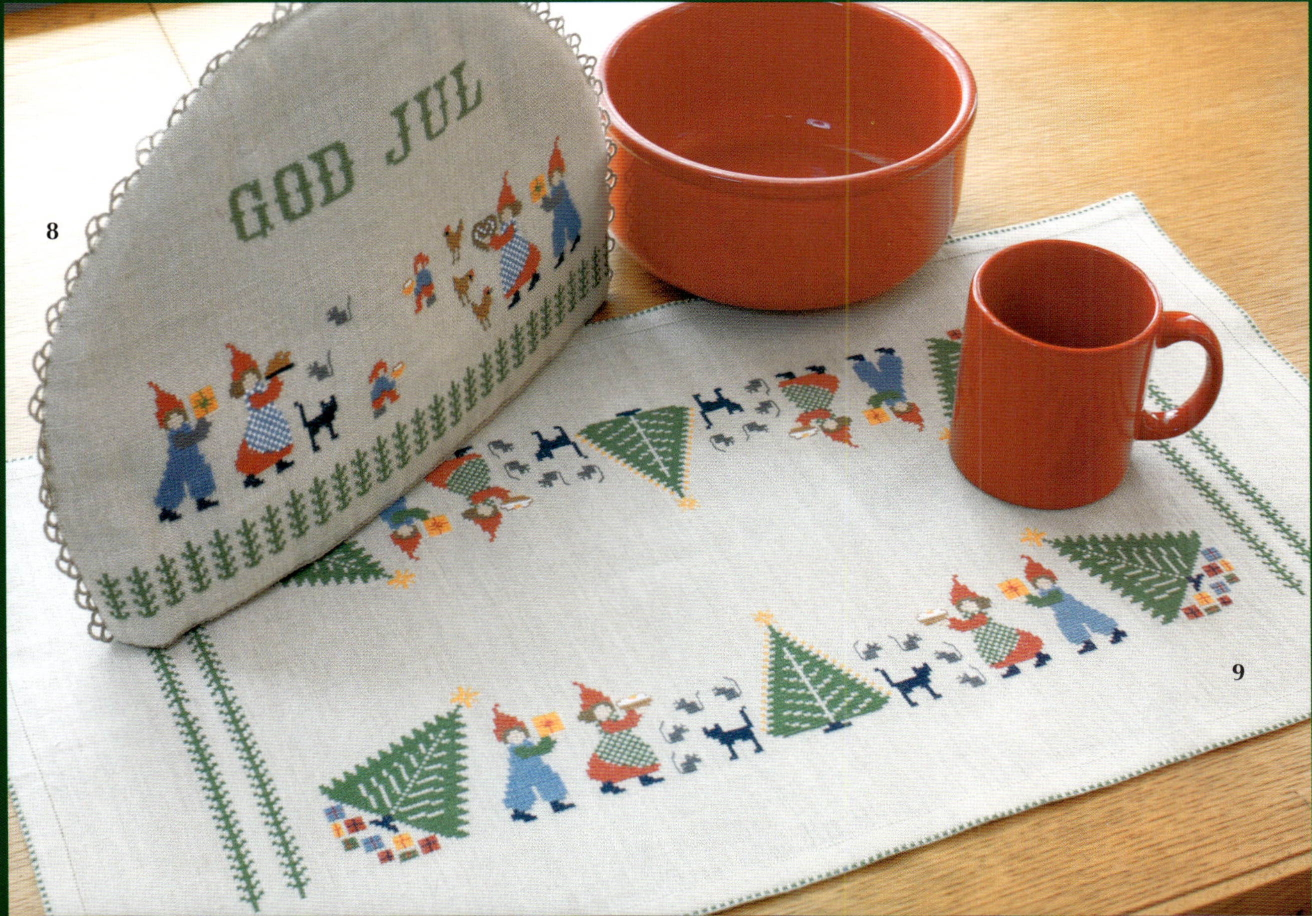

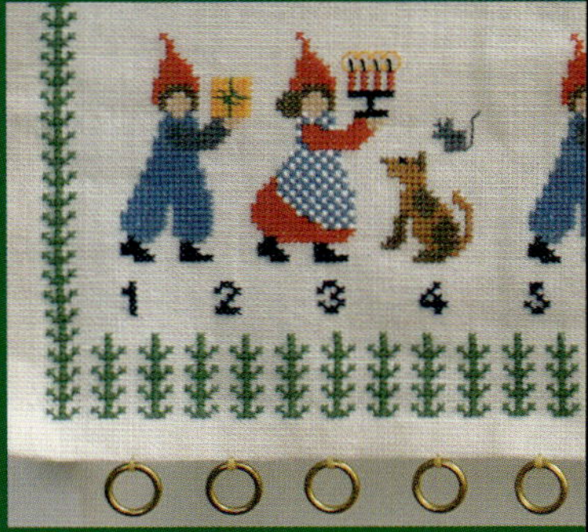

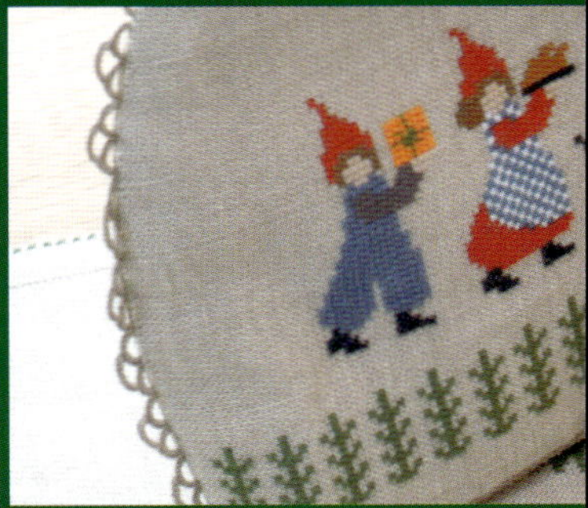

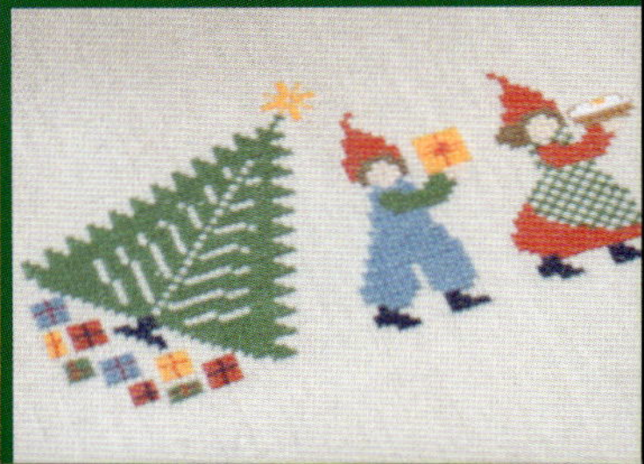

10 ハートと星のベルプル
フェルトのオーナメントで重みを加えています。

11 赤い雪のテーブルセンター
赤い雪のモチーフを両端に。シンプルでクラシックな何枚でも欲しいテーブルセンターです。

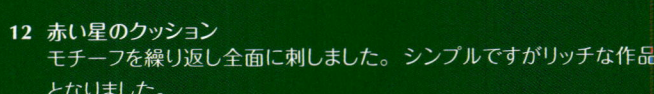

- **12 赤い星のクッション**
 モチーフを繰り返し全面に刺しました。シンプルですがリッチな作品となりました。

- **13 白いクリスマスツリーのクッション**
 ランナーのモチーフを中央にして、ドロンワークを入れたおしゃれなクッションです。

- **14 ニッセとクリスマスツリーのクッション**
 全面刺しに向いたモチーフを使い、クリスマスらしいクッションとなりました。

- **15 クリスマスリースのクッション**
 モチーフを全面に刺してデニッシュモダンな印象に。

- **16 雪降るクリスマスツリーのクッション**
 冬のソファに欲しい長いクッションは、幅広のボーダー飾りをつけ、重厚な趣きに仕上げました。

- **17 ニッセのクッション**
 ビーズ飾りをつけて、さらにクリスマスのハイライトに。

- **18 星型のクリスマスツリーのクッション**
 コーナーにドロンワークを施して、豪華な仕上がりになりました。

19 天使とクリスマスツリーのブックカバー
未ざらしの麻布に白い天使とツリーを全面に刺して、聖書のカバーなどに。

20 グリーンのツリーのテーブルセンター
オーソドックスでモダンな中央の柄に、緑の星をボーダーに刺してかわいくしました。

21 もみの木とベルのあるテーブルセンター
金糸を使ったベルにあわせ、小さい房をたくさんつけて華やかに。

22 白いもみの木のテーブルランナー
未ざらしの麻布に白糸の清楚なクリスマスイメージを刺しました。ドロンワークで少し動きをつけています。

23 ボーダー飾りのバスケットカバー
ニッセと雪だるまのモチーフを一緒に刺し、リボンをふんだんに使ってカゴにカバーしてみました。

24 ニッセとクリスマスツリーのジュエリートレイ
　　箱の縁にベリオンローズを刺してかわいら
　　しさを加えました。
25 ニッセのドイリー
　　クロスステッチのボーダー飾りと房で、ク
　　リスマスの気分を高めます。

26 ボーダー飾りのティーコーゼ
　雪だるまとハートのモチーフと一緒に、手づくりポンポンもつけました。
27 ボーダー飾りのテーブルランナー
　二組のモチーフを使ってクリスマスの楽しさを増しました。
28 エンジェルリースのテーブルセンター
　ドロンワークを四隅に施し、中央のエンジェルを強調。

29 ハート飾りのサイコロクッション
サイコロの目数をハートの数で表した、こども用のかわいいトイクッションです。

30 ハート飾りのボックス
ふたにハートのモチーフを刺して、クリスマス向けのギフトボックスを作りました。

31 ハート飾りのスペースマット
ハートのモチーフを細かいボーダー柄に収めてクリスマスディナー用のスペースマットに。

32 ハート飾りのテーブルセンター
ハートのモチーフを繰り返して北欧らしいクリスマスのセンターができました。

製作者一覧

1	クリスマスのテーブルセンター	山住良子
2	カゴのランプシェード	安斎安子
3	カゴ模様のトートバッグ	土谷正子
4	カゴ模様のテーブルセンター	小林雅子
5	クリスマスツリーとニッセの額	田口由美子
6	クリスマスツリーとニッセたちのテーブルセンター	二見 明子
7	ニッセのクリスマスアドベント	瀬谷光恵
8	ニッセのティーコーゼ	大谷結郁
9	ニッセたちのテーブルセンター	岩藤富美子
10	ハートと星のベルプル	栗田麻子
11	赤い雪のテーブルセンター	高井由樹子
12	赤い星のクッション	池田惇子
13	白いクリスマスツリーのクッション	原田伸子
14	ニッセとクリスマスツリーのクッション	河原真理
15	クリスマスリースのクッション	渡辺紘子
16	雪降るクリスマスツリーのクッション	赤崎純子
17	ニッセのクッション	新井由紀子
18	星型のクリスマスツリーのクッション	中川澄子
19	天使とクリスマスツリーのブックカバー	三谷百合子
20	グリーンのツリーのテーブルセンター	井沢美知代
21	もみの木とベルのあるテーブルセンター	原 愛子
22	白いもみの木のテーブルランナー	乃村佳子
23	ボーダー飾りのバスケットカバー	佐野美恵子
24	ニッセとクリスマスツリーのジュエリートレイ	石原知子
25	ニッセのドイリー	伊東ゆかり
26	ボーダー飾りのティーコーゼ	宮地幸枝
27	ボーダー飾りのテーブルランナー	佐藤貴代
28	エンジェルリースのテーブルセンター	大村尚子
29	ハート飾りのサイコロクッション	鳥居洋子
30	ハート飾りのボックス	中山真砂子
31	ハート飾りのスペースマット	篠崎友子
32	ハート飾りのテーブルセンター	多田紀子

この本で扱っているクロスステッチの材料をお求めのかたは、下記へお問い合せください。

ヤマナシ ヘムスロイド

http://yhi1971.com

● 表参道ショップ
〒150-0001 東京都渋谷区神宮前4-3-16
TEL 03-3470-3119 FAX 03-3470-2669
mail@yhi1971.com

● 東急本店ショップ
〒150-0043 東京都渋谷区道玄坂 東急本店6階
TEL/FAX 03-3477-3314

取扱商品：デンマーク手工芸ギルドの花糸、刺繍用針、麻布、麻糸、金糸、銀糸 他

※ヤマナシ ヘムスロイドでは北欧の刺繍、織り物の教室、通信講座も開催しています。お気軽にお問い合せください。

編集協力　山住良子、東野充子、寺原百合子
ブックデザイン　神楽坂上ルデザイン室（清水宣博＋小澤いずみ）＋松田洋一
企画協力　東急百貨店

付録ページ
作品制作　ヤマナシ ヘムスロイド友の会
撮影　川田正昭

イングリット・プロムのデンマーク・クロスステッチ II
クリスマス アドベント

2008年10月1日 初版第一刷発行

デザイン	イングリット・プロム
写真	ユッテ・ラデゴー
訳・監修	山梨幹子
発行	ヤマナシ ヘムスロイド 東京都渋谷区神宮前4-3-16（〒150-0001） 電話03-3470-3119
発売	ブッキング 東京都文京区本郷3-40-11（〒113-0033） 電話03-5840-8497（代表）
印刷・製本	株式会社シナノ

Printed in Japan　ISBN978-4-8354-4397-3　C2376

分売不可（定価は外箱に表示してあります）
落丁・乱丁本はお取替えいたします。
この本に掲載されたデザインを複製、転載したり、許可なくこのデザインを
利用・転用した作品の販売をすることは法律で禁じられています。